Collana di letture graduate per stranieri

diretta da
Maria Antonietta Covino Bisaccia
docente presso l'Università per Stranieri di Perugia

ITALO SVEVO

La buonissima madre

a cura di
Maria Antonietta Covino Bisaccia
Sabrina Bravi

Guerra Edizioni

© Copyright 2005, Guerra Edizioni, Perugia
Proprietà letteraria riservata

ISBN 88-7715-832-8

Disegni di *Claudio Ferracci*

In copertina:
Silvestro Lega, *La carezza materna,* olio su cartone (1864)

Finito di stampare nel mese di maggio 2005 da Guerra guru s.r.l. - Perugia

Indice

Italo Svevo

ITALO SVEVO

Ettore Schmitz nasce a Trieste il 19 dicembre 1861. Il padre, figlio di un ebreo tedesco, commercia in vetro mentre la madre, Allegra Moravia, appartiene a una famiglia ebrea friulana.[1]

La realtà familiare di Svevo riflette molto bene la realtà di Trieste a quel tempo: città borghese che deve la sua ricchezza al commercio, primo porto dell'impero asburgico,[2] Trieste è il punto di incontro di culture diverse, in particolare di quella italiana, di quella tedesca e di quella ebraica, vista la forte e importante presenza di questa comunità[3]. Proprio in omaggio alla sua origine mista Ettore Schmitz deciderà di adottare lo pseudonimo[4] di Italo (Italiano) Svevo (Tedesco). A 13 anni viene mandato dal padre, insieme ai fratelli Adolfo e Elio, a studiare a Würzburg in Germania per imparare bene il tedesco e studiare economia e commercio. Studia con poco entusiasmo perché non è molto interessato alla materie commerciali, ma scopre la letteratura tedesca e ci si appassiona. Tornato a casa a 17 anni completa gli studi alla scuola commerciale superiore "Revoltella" di Trieste. Nel frattempo muore il giovane fratello Elio, a cui è particolarmente legato. Questo grande dolore lo porta a riflettere sul senso della morte, e questo sarà un tema ricorrente[5] nella sua opera letteraria.

[1] del Friuli, regione italiana di cui Trieste è capoluogo
[2] degli Asburgo, famiglia reale austriaca che creò un vasto impero di cui faceva parte anche Trieste
[3] insieme di persone unite per motivi sociali, religiosi, linguistici
[4] nome falso, inventato e usato per pubblicare le proprie opere letterarie
[5] che si ripete, che ritorna abbastanza frequentemente

A 19 anni entra in banca e vi rimane fino a 36 anni quando, in seguito al matrimonio con la giovane e ricca ebrea Livia Veneziani e alla nascita della figlia Letizia, decide di entrare a lavorare nella ditta di vernici[6] del suocero[7].

Deve viaggiare molto, soprattutto in Francia e in Inghilterra dove la ditta ha una filiale[8], e così decide di dedicarsi completamente agli affari e di abbandonare la letteratura, visto anche lo scarso successo che i suoi due primi romanzi, "Una vita" (1892) e "Senilità" (1898), hanno ottenuto. Tuttavia continua a scrivere novelle, brevi racconti, in parte incompleti, e commedie.

Nel 1905 nasce una grande amicizia con James Joyce, suo insegnante d'inglese per qualche tempo a Trieste. Il grande scrittore irlandese[9] gli apre nuove prospettive letterarie, e soprattutto il suo giudizio positivo su "Senilità" gli ridà fiducia nelle sue possibilità come scrittore. Importante anche la conoscenza, tra il 1908 e 1910, dell'opera di Freud di cui più tardi tradurrà in parte "L'interpretazione dei sogni".

Con lo scoppio della prima guerra mondiale la fabbrica del suocero chiude, e Svevo torna a dedicarsi alla scrittura. Frutto di questo periodo sarà "La coscienza di Zeno", romanzo fondamentale della letteratura italiana del '900. Pubblicato solo nel 1923, godrà di un ampio riconoscimento internazionale.

Con il successo si apre un periodo di rinnovata felicità creativa che lo porta alla elaborazione di una serie di novelle e di racconti, di difficile datazione[10] e solo in parte compiu-

[6] sostanze che vengono distribuite sulle superfici degli oggetti e formano uno velo di protezione, colorato o trasparente
[7] padre della moglie
[8] uffici che la rappresentano
[9] dell'Irlanda; Joyce (1882-1941) è infatti nato a Dublino
[10] attribuzione di una data

ti[11] (tra cui "La buonissima madre"), e alla progettazione[12] di un quarto romanzo dal probabile titolo "Il vecchione" o "Il vegliardo", mai ultimato in quanto il 13 marzo 1928 Svevo muore improvvisamente per un incidente d'auto.

[11] finiti, ultimati
[12] progetto

ITALO SVEVO
La coscienza di Zeno

ITALO SVEVO
Senilità

ZENO'S CONSCIENCE

ITALO SVEVO

ITALO
SVEVO
LA COSCIENZA DI ZENO

La buonissima madre

Il racconto "La buonissima madre", non terminato come molti altri, viene pubblicato per la prima volta dopo la morte dell'autore nel 1929, nella raccolta *La novella del buon vecchio e della bella fanciulla e altri scritti* e risulta di difficile datazione.

Probabilmente fa parte del gruppo di racconti a cui Svevo lavorava negli ultimi anni della sua vita. A Svevo non interessò infatti sfruttare il momento di grande successo ottenuto con *La Coscienza di Zeno*, ma preferì continuare a sperimentare[1] e ricercare forme e idee nuove senza essere ossessionato[2] dal dover pubblicare. Questo spiega perché molti racconti, a cui lavorò negli ultimi anni, siano rimasti incompiuti.

Ritorna in questo racconto uno dei motivi[3] centrali nell'opera di Svevo: il matrimonio, con le sue piccole e grandi falsità[4], le infedeltà[5] e le insoddisfazioni.

Questa sua lucida[6] analisi delle miserie del matrimonio, momento centrale dell'identità borghese, lo hanno fatto avvicinare ad Ibsen[7] e a Strindberg[8]. In Svevo però non vi è mai la nota tragica[9], drammatica; domina, al contrario, l'ironia. È attraverso il distacco[10] iro-

---

[1] fare esperimenti, provare a creare cose nuove
[2] tormentato sul piano psichico
[3] qui, temi, argomenti
[4] cose false, menzogne, bugie
[5] l'essere infedele, tradire la moglie o il marito
[6] qui, fredda, chiara, precisa
[7] poeta e drammaturgo norvegese (1828-1906)
[8] scrittore e drammaturgo svedese (1849-1912)
[9] tipico della tragedia
[10] il mantenersi lontani, freddi, il non partecipare

nico del narratore[11], che anche in questo racconto trapela[12] la verità e viene distrutto ogni falso ideale.

La protagonista, al contrario di quanto lascia immaginare il titolo, non è una donna pura, dai principi inattaccabili[13]. La dolce e ingenua Amalia dimostra di saper essere donna calcolatrice[14] e pronta anche all'inganno, all'adulterio[15] pur di realizzare il suo desiderio di avere un figlio sano. Nonostante questo Amalia non è né peggiore né migliore degli altri personaggi: anche il marito, il ricco Merti, è ricorso all'inganno per sposarla, attribuendo ad una caduta mai avvenuta la sua deformità, e anche il vecchio medico la inganna tacendole la verità.

Svevo quindi svela l'ipocrisia[16] di un intero mondo, quello borghese - di cui lui stesso fa parte - attraverso le menzogne che si nascondono dietro un "perfetto" matrimonio. Tuttavia Svevo non vuole distruggere questo mondo, poiché esso, nei suoi limiti e nelle sue miserie, rimane per l'autore l'unico possibile. Ecco perché alla fine la scelta di Amalia sembra la più giusta o almeno l'unica capace di portare a tutti un po' di serenità.

---

[11] colui che narra o racconta la storia

[12] trapelare: emergere, manifestarsi piano piano

[13] indistruttibili, incrollabili

[14] pronta a ricercare il proprio utile, il proprio guadagno

[15] tradimento del proprio marito o della propria moglie

[16] falsità, simulazione di buoni sentimenti e intenzioni allo scopo di ingannare qualcuno

La buonissima madre

Legenda:

Il trattino sotto alcune vocali vuole indicare la sillaba su cui cade l'accento tonico che in italiano, di solito, cade sulla penultima sillaba.

In questo testo, di livello avanzato, l'accento tonico non è stato segnato sotto le forme verbali, fatta eccezione per quelle accompagnate da pronomi e per l'infinito.

Il testo, inoltre, è stato da noi arbitrariamente diviso in tre parti.

La buonissima madre

Parte Prima

*A*melia era un'ottima fanciulla educata ai migliori principi e quando venne il tempo di maritarsi[1] , il padre suo, che era un onesto negoziante[2] , le disse un giorno con aria soddisfatta che un milionario[3] del paese aveva domandato la sua mano. Amelia timidamente oppose: "Ma io veramente calcolavo[4] di sposare mio cugino Roberto; sempречché[5] egli[6] mi voglia" aggiunse la buona fanciulla arrossendo "perché mai me lo disse". "Queste sono fanciullaggini[7]" disse il padre che sapeva le cose meglio di sua figlia. "Roberto non ha ancora finiti i suoi studi! Roberto spende molto più di quanto deve; Roberto non dispone del becco di un quattri-

becco

---

[1] sposarsi

[2] commerciante, proprietario di un negozio

[3] uomo ricchissimo

[4] calcolare: qui, pensare, progettare

[5] sempre che, se

[6] lui. In italiano si registra una molteplicità di pronomi soggetto per la terza persona, sia singolare che plurale. Oggi i pronomi *lui* e *lei*, un tempo utilizzati solo in posizione tonica, tendono a sostituire i pronomi *egli/ella* (usati per indicare persone) ed *esso/essa* (che generalmente si riferiscono ad animali o cose), che talvolta, come alla nota n.11, vengono usati per indicare persone. Alla terza persona plurale *loro* generalmente sostituisce *essi/esse/elle*

[7] idee da bambino, stupidaggini

no[8] ..". La fanciulla esitava, le guance in fiamme. "Eppoi" concluse il padre "se ti avesse voluta, te l'avrebbe detto. Vuole forse che tu gli corra dietro? Dove si è visto che si tratti così una fanciulla dabbene[9]?". La fanciulla si convinse. Quel Roberto non sapeva trattare. L'ultima volta che l'aveva vista era stato muto e accigliato[10] accanto a lei. Che cosa gli era capitato? Era ripartito per i suoi studi senza neppure venire a darle l'ultimo addio ed ora meritava, sì, meritava, ch'essa[11] si sposasse ed anzi senza dargliene avviso[12].

accigliato

Perché Amelia voleva sposarsi al più presto. Figlia unica[13] era stata abituata a vedersi esaudito ogni suo desiderio. I genitori andavano debitori[14] unicamente dell'ottima indole[15] della fanciulla se essa aveva dato un tale ottimo risultato.

---

[8] soldo; non avere il becco di un quattrino: non avere un soldo, essere povero

[9] per bene, onesta

[10] serio, quasi cupo, arrabbiato, con le sopracciglia aggrottate; espressione che indica malumore

[11] lei

[12] dare avviso: informare, mettere a conoscenza

[13] l'autore poi si contraddirà e parlerà di una sorella

[14] debitore: persona che ha un debito verso qualcuno o qualcosa; andare/ essere debitori: essere grati, riconoscenti

[15] natura, carattere

Essa aveva compiuto tutti i suoi studi e anche molto bene. Veniva molto lodata[16] specialmente per le materie positive[17]: le scienze naturali specialmente. Balbettava[18] Darwin[19]. La vita doveva fornirle i commenti necessari. Essa sapeva che l'antenato[20] dell'uo-

antenati dell'uomo

mo era fatto in un dato modo e che perciò l'uomo e anche la donna erano fatti così e così. Sapeva la genesi[21] delle mani e dei piedi e di molte altre cose ancora. Le sue belle mani e i suoi piedini non entravano nella legge. Si guardava volentieri nello specchio e mai

[16] lodare: elogiare, fare i complimenti
[17] qui, scientifiche
[18] balbettare: pronunciare male le parole ripetendo più volte la stessa sillaba; qui è usato in senso figurato, e significa: faceva proprio, ma in maniera superficiale, il pensiero filosofico-scientifico dell'evoluzionismo di Darwin (1809-1882)
[19] naturalista britannico. Al ritorno da una spedizione scientifica intorno al mondo sulla nave 'Beagle' mise in ordine l'abbondante materiale raccolto. Da questi studi derivò l'opera *Sull'origine delle specie mediante selezione naturale*, che aprì alla scienza un vasto campo di ricerche
[20] chi è nato e vissuto prima, progenitore
[21] origine

vedendo i propri occhi azzurri aveva pensato che qualche suo antenato li aveva avuti più piccoli, più irrequieti[22], più aderenti[23] alla radice del naso. Dai suoi occhi brillava il pensiero e il sentimento ed ambedue mancavano di antenati secondo lei. Del resto anche Darwin aveva parlato degli antenati dell'uomo e non dei suoi propri. E Amelia aveva l'abitudine di leggere i libri come erano scritti con quel cieco ordine, una pagina dopo l'altra in modo che fra l'una e l'altra non ci fosse tempo per applicazioni e derivazioni[24]. Le antiche illusioni egotistiche[25] vivevano indisturbate in mezzo alla scienza moderna.

E così neppure Darwin seppe impedire che ella sposasse il milionario, il quale venne e fece la sua brava dichiarazione. Emilio Merti venne ricevuto un dì[26] dalla madre di Amelia.

La fanciulla dovette farsi aspettare e quando entrò il milionario si alzò. La piccola figurina esitò, si sforzò, si spostò per alzarsi ma non perse ogni disinvoltura[27] e tese una mano ben fatta, un po' tumida[28] alla fanciulla. La guardò con occhi lucenti[29] dalla commozione; uno sguardo che ricordava quello di Roberto. Alla fanciulla piacque quella faccina fine, dolce, le

---

[22] inquieti, agitati
[23] attaccati
[24] qui, nel senso di riflessioni ed esempi tratti dalla realtà in grado di confermare o smentire le teorie
[25] da egotismo, che è la stima eccessiva di sé, che induce ad attribuire valore solo alle proprie esperienze, e a parlare esclusivamente di sé
[26] giorno
[27] naturalezza, scioltezza di movimento
[28] gonfia, grossa
[29] brillanti, scintillanti, splendenti

...quando entrò il milionario si alzò

labbra sottili un po' pallide, la fronte altissima, troppo alta quella fino alla metà della cervice[30].

cervice

In fondo si capiva anche al suo aspetto che doveva essere persona ricca e gentile e ad Amelia bastò. Esaminando lo sposo da capo a piedi scoperse che lo stivale destro aveva almeno una

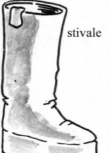

stivale

quindicina di centimetri di suola. Quando lo vide muoversi scoppiò quasi dal ridere: Stimo io! Zoppica[31]! Non può essere altrimenti con quel peso che porta al piede destro. Lo sposo divenne rosso come Roberto quando le parlava dei suoi studi (strano come

suola

ella tirava sempre dei confronti con Roberto) e le spiegò che la sua gamba destra aveva cessato di crescere a una

astice

data età. Questo per un istante ricordò ad Amelia certi studi di Darwin sugli astici[32] che hanno il lato destro

---

[30] parte posteriore del collo, nuca

[31] zoppicare: camminare male, a causa di una imperfezione, una malattia o una lesione alle gambe o ai piedi; il Merli zoppica perché ha una gamba più corta dell'altra

[32] gambero di mare simile all'aragosta, famoso per la sua bontà

più grosso del sinistro ma dovette ricredersi[33] quando il signor Emilio con voce un po' velata[34] dall'emozione le raccontò che da bambino la sua balia[35] l'aveva lasciato cadere a terra. Tale caduta gli aveva provocato una lesione[36] che non soltanto gli tenne breve la gamba ma piccolo anche il femore[37] .Quello non si vedeva perché era coperto non da suole ma da ovatta[38]! Gli occhi d'Amelia s'inumidirono[39] dalla compassione[40]: "Poverino! Condannato a portare attorno per tutta la vita tanta ovatta e tante suole!".

Vedeva dinanzi a sé il piccolo essere[41] lasciato cadere a terra dalla balia disattenta. Lo vedeva a terra, inconsapevole[42] che quella caduta peggiorava[43] il suo destino piangendo non per altro che per il dolore momentaneo[44]. Poi la sua faccia s'infiammò al ricordare quella balia che per lei era una delinquente[45] comune: "Oh, se fossi stata sua madre!" pensò

femore

[33] cambiare idea, opinione
[34] qui, non chiara
[35] donna pagata per allattare il neonato e prendersi cura di lui
[36] danno, ferita, alterazione anatomica
[37] lungo osso della coscia
[38] cotone idrofilo, bianco e morbido, utilizzato di solito per pulire e medicare le ferite
[39] inumidirsi: qui, bagnarsi di lacrime
[40] pietà
[41] la piccola creatura, il bambino
[42] ignaro, che non sa e/o non capisce
[43] peggiorare: rendere peggiore, più brutto o doloroso
[44] del momento presente, immediato
[45] criminale, persona che ha commesso un reato

21

... da bambino la sua balia l'aveva lasciato cadere a terra

"Io le avrei strappati gli occhi!"
E pensò ancora: "Se io avrò la fortuna di avere dei bambini starò at-
tenta che simili avventure non
possano toccare loro". Intanto
non sembrerà vero: il cuoricino
di Amelia aveva battuto per il milionario. Non sarà stato amore ma
compassione, ma certo è che
Emilio non le era indifferente.
Egli l'addobbò[46] come la
madonna di Loreto[47] di ori e brillanti[48]. A lei tali giocattoli[49] non
importavano ma capiva il deside-

Madonna

brillanti

rio di compia- c e r l a per cui le veni- v a n o

giocattoli

fatti e ne era riconoscente[50]. Del resto la sua testa infantile[51] era già abbastanza calcolatrice[52] e sapeva che

---

[46] addobbare: ornare, decorare, parare a festa, vestire con lusso
[47] Loreto, piccola cittadina delle Marche dove, secondo la tradizione, la
Madonna avrebbe trascorso gli ultimi anni della sua vita. La statua
della Madonna che si trova a Loreto è molto venerata, e la cittadina è
meta di pellegrinaggi
[48] pietre preziose simili ai diamanti
[49] giochi per bambini
[50] grata
[51] di bambina, ancora ingenua
[52] che calcola; capace di valutare la possibilità di un suo personale guadagno, astuto

23

i suoi brillanti rappresentavano una sostanza.[53] "Chissà" pensava quella buona figlia di negoziante "che i miei figliuoli non possano una volta o l'altra averne bisogno?!"

La maternità[54] in Amelia era stata sviluppata specialmente dai due figliuoli di sua sorella, due amori di bambini. Essa aveva assistita[55] la sorella nell'allevarli e i bimbi l'amavano come se fosse stata una seconda loro madre. Subito al suo fidanzamento Amelia si staccò un po' da loro. La sua vita s'era agitata e veniva occupata giornalmente da conoscenze nuove e vecchie, visite da ricevere o da rendere. Eppoi[56] essa sentiva avvicinarsi da lontano il rumore dei passetti dei propri bambini. Ne ebbe presto uno grande e grosso: il proprio marito. Un'amica (forse invidiosa[57] dello splendido matrimonio) le aveva detto che Emilio Merti si sposava per tentare un'ultima cura per salvare i suoi nervi pericolanti[58]. Era una cura alquanto drastica[59] e poteva essere un po' drastica anche per la moglie. Amelia non ci credette, poi serenamente soggiunse[60]: "Certo io farò del mio meglio perché la cura gli giovi".

Così il suo cuore s'aperse[61] intero alla maternità. Il marito passava la giornata in cure. Aveva uno specialista per ogni parte del corpo ed è così che Amelia

[53] qui, una ricchezza, un bene, un patrimonio
[54] qui, il desiderio di essere madre
[55] assistere: qui, aiutare
[56] e poi
[57] gelosa, che avrebbe voluto essere al suo posto
[58] fragili, deboli, in pericolo
[59] energica, dura
[60] soggiungere: aggiungere, dire ancora qualcosa
[61] passato remoto, ormai desueto, di aprirsi

dopo due anni ebbe il suo primo bambino. Con tanta impazienza[62] metterci due anni era molto e proverebbe che quegli specialisti non erano tanto di primo ordine[63] . Il bambino appariva un po' pallido e debole e tanto più chiamava le carezze[64] materne. Dopo la nascita del bambino i due coniugi Merti passarono un anno delizioso. Egli, come tanti esausti[65], era grato alla moglie che lo sopportava ed essa poi lo sopportava volentieri dolce e buono com'era.

Essa stessa allattava[66] e viveva attaccata al suo piccino[67] come se fosse vissuta in un paese pericoloso. Così quando il medico, trascorso il primo anno, chiamato a vedere perché il bambino non volesse ancora risolversi[68] a fare i primi passi, dichiarò che la gamba destra non voleva svilupparsi, Amelia con piena certezza poté dichiarare: " Ma se non è mai caduto!".

Ne era certa, nessun urto poteva aver leso[69] quell'organismo. Il medico fece tanto d'occhi[70] e non poté frenarsi[71] : "Ma il padre?". "Il padre", disse Amelia piangendo "quello sì, poverino, fu lasciato cadere a terra da una balia disattenta". Il medico stupito di tanta innocenza ricordò il dovere del segreto professio-

---

[62] fretta
[63] qui, di ottimo livello, qualità
[64] dimostrazione di affetto, benevolenza, fatta sfiorando o toccando leggermente con la mano il viso o un'altra parte del corpo
[65] privi di ogni energia, ormai stremati
[66] allattare: dare latte, nutrire al proprio seno
[67] piccolo
[68] qui, decidersi
[69] ledere: danneggiare
[70] fare tanto d'occhi: rimanere meravigliato, stupito, stupefatto
[71] qui, fermarsi, evitare di dire

Essa stessa allattava...

nale[72] e disse: "Deve trattarsi dell'eredità[73] di una qualità acquisita[74]". Oh quella balia! Aveva rovinata tutta una generazione di Merti!

Passarono mesi e tutte le cure prodigate[75] al bambino parvero inutili. Faceva ora i primi passi poggiato su una gruccia[76]. Quel rumore lieve dei primi passetti incerti era sostituito nella casa desolata[77] dall'alternarsi[78] di un rumore secco e duro della gruccia ... destra e di uno pesante del piede sinistro.

A una certa epoca il dottore poté constatare che anche il braccio destro stentava[79] a svilupparsi; tutta la parte destra restava povera, mentre l'altra si sviluppava esuberante[80] di ossa di carne e di grasso.

Pareva un bambino cucito[81] insieme di due parti di

gruccia

---

[72] il medico ha l'obbligo di non riferire ad altri informazioni sullo stato di salute di un paziente, se questi non vuole. È cioè chiamato a tutelare la privacy del paziente

[73] qui, caratteristiche e proprietà che un organismo vivente riceve dai genitori

[74] qui, fenomeno che si verifica dopo la nascita, per cause esterne, ambientali

[75] date, offerte con generosità, talvolta in modo esagerato

[76] stampella, lungo bastone munito di sostegno per la mano e il braccio che permette di sostenere la parte del corpo se la gamba è immobilizzata

[77] addolorata, triste

[78] succedersi, susseguirsi l'uno all'altro in modo alterno, avvicendarsi

[79] stentare: fare fatica, avere difficoltà

[80] qui, ricca, sovrabbondante

[81] cucire: legare insieme, unire con ago e filo

altri bambini. Il dottore che, oramai, sapeva come dovesse trattare Amelia, sentenziò: [82] "La qualità acquisita, per ragioni misteriose, deve essere stata sviluppata nell'ambiente". E Amelia ch'era ritornata al suo Darwin fece, benché dolcemente, il suo primo rimprovero[83] al marito: "Avresti dovuto far fare giornalmente ginnastica alla tua parte destra". Per fortuna non pareva che Amelia avesse dovuto avere altri figlioli. Essa continuava, benché senza speranza, la lotta con la malattia del suo rampollo[84]. La giornata era piena di cure per il marito e per il figliolo. C'era una stanza del palazzo piena di strumenti ortopedici[85] tutti appaiati[86], uno piccolo e uno grande e Amelia li teneva essa stessa in ordine. Giammai[87] fu intrapresa[88] più assidua[89] una lotta contro la malattia. Merti, commosso, faceva anche lui le cure con tutta l'energia perché, avendo indovinato il desiderio della moglie, voleva con tutte le sue forze riparare al mal fatto. Si curava. Ingoiava pillole e acque diverse, si applicava impiastri[90], faceva le ginnastiche più varie. Per consiglio di un medico andò anche a cavallo ma alla terza lezione cadde malamente ledendosi[91] la gamba sini-

---

[82] sentenziare: esprimere con autorità e competenza un parere, una decisione

[83] critica, disapprovazione

[84] figlio, discendente diretto di una famiglia

[85] strumenti per curare difetti del sistema osseo

[86] messi insieme per formare una coppia

[87] mai

[88] intraprendere: cominciare, dare inizio a un'attività, specialmente lunga e impegnativa

[89] che è fatta con costanza e continuità

[90] preparazioni farmaceutiche per uso esterno, di consistenza semisolida

[91] ledersi: rompersi

Ingoiava pillole e acque diverse...

stra. Fu portato in let-
tiga a casa e nel primo
dolore confessò alla
moglie l'intimo animo
suo "Ed io che miravo

lettiga

solamente a soddisfare il tuo desiderio di bambini
sani". Amelia non fu né sorpresa né commossa che si
facesse tanto per la sua felicità. Non viveva ella stessa allo stesso scopo? Accasciata[92] mormorò[93]: "Che
tale lezione non ti rovini anche il lato sinistro!". Il
marito per consolarla le disse: "Forse così interver-
rà un certo equilibrio e si potrebbero avere dei pic-
cini più piccoli degli altri ma fatti con una certa
simmetria[94]!". In poche settimane invece il piede
sinistro guarì e liberato dai gessi si dimostrò come
sempre troppo lungo, troppo forte, troppo diritto.
"È ben differente l'azione di una lesione in un corpo adulto di quello che sia in un corpo infantile"
sentenziò Amelia.

Il bambino Achille[95] (si chiamava così con evidente profezia[96] di una delle due gambe difettose) seccato[97] forse da tante cure cresceva cattivetto parecchio.
Quella sua gruccia era nella sua mano sinistra un'ar-

---

[92] demoralizzata, abbattuta
[93] mormorare: dire a voce molto bassa, sussurrare
[94] disposizione regolare delle parti, perfetta corrispondenza di due parti,
armonia di proporzioni
[95] secondo la leggenda, il più celebre e valoroso degli eroi greci. La
madre, per impedire che venisse ferito in battaglia, lo bagnò nel fiume
Stige tenendolo per il tallone, che rimase la sola parte nella quale poté
essere ferito
[96] annunzio, predizione di un avvenimento futuro per ispirazione divina
[97] qui, annoiato, infastidito

30

Le fantesche ricevevano spesso la gruccia sulla schiena...

ma terribile e le fantesche[98] la ricevevano spesso sulla schiena. "Perché non picchi con la mano destra per fare esercizio?" ammoniva[99] Amelia. A quattro anni gettò la gruccia, sempre con la mano sinistra, contro la madre. Il piccolo mostriciattolo[100] era poco divertente. Un bel giorno si mise a letto con un raffreddore. La febbre non lo abbandonò più. Intorno a lui le cure continuarono assidue. Si fecero venire dalla capitale dei medici illustri cui si parlava della febbre, della gamba corta, della tombola[101] fatta dal padre e di tutte le cure intraprese. Se ne andarono intontiti[102]. "Ad ogni modo" sentenziò uno di loro "la deformità resterà quale è. Non aumenterà". Ed ebbe ragione. Avrebbe potuto anche dire che quella deformità sarebbe diminuita poiché si sa che la deformità della morte copre tutte quelle della vita.

Quando la piccola cassa[103] fu portata via Amelia si sentì sola. "Ed ora?" si domandava quasi farneticando[104]. Il marito - dopo la sua ultima avventura - non osava troppe ginnastiche e massaggi. Così non c'era niente da fare. Ritornò ai nipoti. Ma erano cresciuti e appena appena la conoscevano.

[98] domestiche, donne di servizio
[99] ammonire: consigliare, suggerire
[100] persona dall'aspetto deforme, piccolo mostro
[101] qui, caduta
[102] confusi, storditi, frastornati
[103] qui, cassa da morto, bara
[104] farneticare: parlare senza senso, dire cose assurde o illogiche

Quando la piccola cassa fu portata via Amelia si sentì sola

1. Rispondi alle seguenti domande

1. Di chi si era innamorata Amalia?

....

2. Chi è Emilio?

....

3. Perché Amalia decide di sposare il Merti sebbene sia zoppo? Individua 3 ragioni.

....

4. Perché Amalia decide di allattare personalmente Achille?

....

5. Come Amalia si spiega la deformità di Achille?

....

2. Vero o falso?

	V	F
1. Roberto è laureato.	❏	❏
2. Roberto è molto povero,	❏	❏
3. Amalia è molto brava a scuola.	❏	❏
4. Amalia è molto intelligente.	❏	❏
5. Amalia è una ragazza calcolatrice.	❏	❏
6. Emilio è molto sincero.	❏	❏
7. Emilio è molto generoso.	❏	❏
8. Emilio è zoppo.	❏	❏
9. Achille è un bravo bambino.	❏	❏
10. Amalia è stata molto viziata dai genitori.	❏	❏

*F*u una fortuna che in quei giorni un amico d'affari del marito da Roma chiese l'ospitalità del Merti per la propria moglie e le due bambine che dovevano fare i bagni di mare. Furono invitati calorosamente e la casa s'animò[105]. La signora Carini era una buona donna insignificante[106] alquanto se non avesse parlato il più puro linguaggio romano. Le due bambine erano due tesori. Erano brune e Gemma, la maggiore di sei anni, aveva un aspetto di piccola madre quando teneva per mano Bianca, la minore. E Bianca meritava tale nome. Nei suoi riccioli[107] bruni c'erano tracce d'oro e la sua pelle era bianca tanto che le venette vi si rivelavano azzurrognole[108] alle

tempie. Divenne subito la prediletta[109] di Amelia che la strinse al seno come se avesse riavuto il suo Achille riveduto[110] e corretto. Oh! ma come una bambina così era differente dal suo povero bambino compianto[111] cui essa in cuor suo domandava perdono perché lo

---

[105] animarsi: acquistare vita, vivacità
[106] senza qualità particolari, senza personalità o attrattiva·
[107] ciocche di capelli mossi, ricci, inanellati
[108] leggermente azzurre
[109] preferita
[110] rivedere: qui, apportare miglioramenti, modifiche
[111] compiangere: qui, piangere la perdita di qualcuno che è morto

Correva per le vaste stanze col passo malfermo...

tradiva. Dapprima un po' intimidita[112] dal nuovo ambiente presto ne divenne la padrona. Correva per le vaste stanze del pianterreno col passo malfermo[113] e quando Amelia le correva dietro spaventata all'idea che qualche spigolo[114] di mobile potesse ferirne la testina, la madre sorridente e tranquilla diceva: "Lasci, lasci; sa guardarsi da sola". Amelia non raccontò alla signora Carini come il suo bambino fosse stato fatto. Lo piangeva con la buona signora descrivendolo come se

spigolo

avesse somigliato a Bianca. Le pareva un delitto e una vergogna parlare della deformità[115] del povero bambino. E così anzi il ricordo di Achille si purificò[116] e certo in ultimo Bianca e Achille si confusero tanto bene insieme che Amelia piangeva piuttosto di non possedere Bianca che di aver perduto Achille.

Amelia ebbe una grande gioia, le fu concesso di dormire con Bianca. La piccola che ancora faceva dei denti[117] si destava talvolta piangendo di notte e desta-

---

[112] intimidire: rendere/diventare timido, insicuro, vergognoso
[113] incerto, instabile, insicuro
[114] angolo
[115] aspetto del corpo fortemente diverso dalla normalità al punto da apparire brutto, ripugnante
[116] purificarsi: diventare puro; qui, liberarsi da ogni brutto ricordo
[117] qui, metteva i primi dentini

va allora anche la Gemma. Le due madri, divenute intimissime nell'affetto per i bambini, andarono presto d'accordo e Bianca dormì nel letto del signor Merti che per intanto[118] dovette emigrare[119] dalla stanza di sua moglie. Amelia amava nella semioscurità[120] alzarsi a contemplare l'angioletto[121] che le dormiva accanto. La stanza era illuminata da una debole luce rosea[122] e la bambina era coperta solo da una breve camiciuola[123].

camiciuola

Le sue carni bianche avevano degli splendori delicati in quella luce. Il miracolo della vita, della più pura vita, si enunciava[124] chiaro con un distacco[125] incredibile di colore in quella stanza ove l'unica luce rosea avrebbe dovuto fondere[126] tutto. La testina ricciuta[127] poggiava immota[128] i labbrucci socchiusi[129]. Talvolta un sogno le strappava qualche parola incomprensibile di cui Amelia rideva tanto da dover preme-

---

[118] per il momento, nel frattempo
[119] partire dal proprio luogo di origine per andare a stabilirsi in modo temporaneo o definitivo in altra località; qui, andare via
[120] buio non completo
[121] piccolo angelo; qui, bambina buona e bella
[122] quasi rosa
[123] camiciola, maglietta che si porta a contatto della pelle
[124] enunciare: esprimere un concetto o un argomento nella forma adeguata e con precisione; qui, si manifestava, si rivelava
[125] qui, differenza
[126] unire, armonizzare, legare
[127] con i capelli ricci, mossi
[128] immobile, ferma
[129] non chiusi perfettamente

re la propria bocca sul guanciale. Una manina nel sonno poggiava sempre accanto alla testa di Amelia che non rifiniva d'ammirarne le unghiette miniate[130].

guanciale

Oh! se le avessero lasciata quella bimba per tutta la vita ella non avrebbe domandato di meglio. Ma già il signor Carini aveva scritto che fra otto giorni sarebbe venuto a riprendere la sua famiglia. Si facevano ora dei complimenti[131]. I Carini non volevano più oltre abusare[132] dell'ospitalità dei Merti e il marito dava ordine alla moglie di prendere delle stanze in un *Hotel* per rimanervi tutti insieme per una decina di giorni. Oh! Amelia non avrebbe permesso questo. Almeno finché Bianca sarebbe rimasta in quella città avrebbe dormito con lei e tanto fece e tanto disse che la moglie convinse subito per lettera il marito di accettare l'ospitalità del Merti.

Per un malinteso[133] il signor Carini capitò inaspettato. Trovò in casa la sola Amelia con Bianca. Era un uomo forte, buono, l'aspetto di un fattore[134] ordinato. Amelia se lo era figurato[135] fine e gentile come la mo-

---

[130] perfette nella loro piccolezza, come una miniatura
[131] parole, espressioni di cortesia, di rispetto
[132] approfittare, in modo esagerato
[133] interpretazione sbagliata, falsa, equivoco; qui, non essersi capiti bene al momento di prendere accordi
[134] chi controlla il lavoro dei contadini e la produzione agricola, aiutando e rappresentando il proprietario del terreno
[135] figurare: immaginare

39

glie e le figlie e piuttosto le dispiacque. Invece era chiaro che il Carini rimase stupito della bellezza di Amelia. La mestizia[136] aveva resi anche più belli gli occhi azzurri pieni di pensiero e di sentimento.

La venuta del Carini rese Amelia più triste del solito. Il Carini a cena era facondo[137] e lieto. La moglie osservò di non averlo mai visto tanto lieto e lo disse con accento di gratitudine[138] perché attribuiva l'allegria del marito alla gioia di rivederla.

Poi la signora Carini andò a mettere a letto Gemma e Amelia Bianca. La buona bambina pigliò subito sonno. Amelia rimase a contemplarla lungamente. La signora Carini ebbe intanto bisogno di non so che cosa da Amelia e con la familiarità acquisita[139] durante il lungo soggiorno[140] in quella casa mandò da lei il marito. Questi picchiò timidamente e Amelia andò ad aprirgli. "Che cosa ha?" domandò il Carini spaventato al vedere la faccia di Amelia irrorata[141] di lagrime. Temeva fosse accaduto qualche cosa a Bianca. "Oh! non è nulla!" disse Amelia piangendo più forte e abbandonandosi su un divano. "Piango perché volete portarmi via Bianca". Il Carini da abitante di capitale già annusava[142] la buona avventura. Ma ogni esitazione

---

[136] tristezza, malinconia
[137] chiacchierone, di parola facile, loquace, eloquente
[138] ringraziamento, sentimento di affetto e riconoscimento per un bene ricevuto
[139] acquisire: acquistare; diventare titolare di un diritto
[140] il vivere, l'abitare per un certo periodo di tempo in un luogo
[141] irrorare: bagnare
[142] annusare: aspirare aria con il naso per sentire un odore; accorgersi, intuire, fiutare, come un cane da caccia che fiuta la presenza di una preda

*«Che cosa ha?» domandò il Carini spaventato al vedere
la faccia di Amelia irrorata di lagrime*

gli fu tolta quando Amelia esclamò "Darei la vita per avere dei figliuoli come ne avete voi".

Il Carini partì con un peggior umore di quello che aveva portato. Insomma la buona avventura c'era stata ma passeggera[143] tanto e non c'era stato caso[144] di rinnovarla. Ben volentieri abbandonò la città perché quella bella donna che faceva così per un istante dono di sé e si ritoglieva subito, apparentemente dimenticando tutto, gli pareva tanto anormale da averne paura. La considerava come pazza e non vedeva l'ora di trarle[145] dalle mani la piccola Bianca. Non l'aveva considerata pazza all'improvviso abbandono la sera del giorno stesso in cui lo aveva conosciuto. Ciò gli sembrava abbastanza regolare. Ma quando alla mattina dopo, vedendola più bella che mai e all'aspetto sofferente, volle approfittare di un momento in cui li avevano lasciati soli per stringerle la manina unicamente per significarle gratitudine e si vide respinto con uno sguardo di meraviglia altezzosa[146], pensò "È decisamente pazza". Ella fu poi come era stata al momento del suo arrivo; dedicava ogni cura ai suoi ospiti quando le cure ch'ella continuava a prodigare[147] alla piccola Bianca gliene lasciavano il tempo. Al buon Carini dinanzi ad una maschera[148] simile si rizzavano[149] i capelli sulla testa e passò in quella casa

[143] breve, temporanea, momentanea
[144] qui, possibilità
[145] trarre: togliere, prendere e portare via
[146] superba, arrogante, con un senso di superiorità
[147] dare, concedere, talvolta in modo esagerato
[148] qui, viso o atteggiamento falso, finzione
[149] rizzarsi: alzarsi

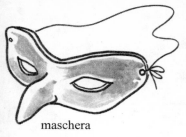
maschera

otto giorni spaventevoli[150]. Erano rimasti d'accordo che i Carini avrebbero approfittato della larga ospitalità offerta loro per quindici giorni ma dopo otto il Carini, non potendone più[151], si fece venire da Roma un dispaccio[152] che lo richiamava.

Alla stazione la signora Carini insisteva perché Amelia promettesse di dar loro l'occasione di sdebitarsi[153] di tanta ospitalità venendo a passare qualche settimana da loro a Roma. Amelia uscì per un istante dal sogno in cui era stata posta dal dolore del distacco dalla piccola Bianca. Posò uno sguardo sicuro sul povero Carini che trasalì[154]: "Forse verrò a Roma".

E, appena partiti, la signora Carini, entusiasmata esclamò: "Quanta gentilezza! Bisognerà trovare il modo di fare altrettanto per loro se vengono a Roma". Tenendo stretta al suo seno la Bianca, esasperato[155] il Carini scoppiò: "Non ci mancherebbe altro[156]". E scorgendo la stupefazione[157] della moglie si corresse

---

[150] orribili, spaventosi
[151] non poterne più: non avere più la forza di sopportare
[152] comunicazione ufficiale, lettera recapitata velocemente tramite corriere e quindi contenente un messaggio urgente, simile al moderno telegramma
[153] ricambiare la cortesia ricevuta
[154] trasalire: sussultare, scuotersi per una forte, improvvisa emozione
[155] arrabbiato, irritato, incollerito
[156] espressione idiomatica per indicare il proprio disaccordo, la propria avversione, come 'questa sarebbe bella!', 'sarebbe il massimo!'
[157] stupore, meraviglia

Alla stazione la signora Carini insisteva...

come poté "Noi non abbiamo mica[158] un palazzo".

Amelia non ebbe bisogno di andare a Roma. Venne una bambina. Consegnata al dottore per un esame accurato[159] egli credette di poter assicurarne la perfetta salute e l'equilibrata costituzione[160]. Asseriva[161] che se il povero Achille fosse stato sottoposto alla sua nascita ad un'indagine tanto accurata, si sarebbe potuto prevedere il suo sviluppo a guisa d'astice. La madre sembrava più serena del padre al quale non pareva vero di aver dato la vita ad una bambina che aveva le due gambe intere. Egli s'affannava[162] ogni giorno a vedere il corpicino nudo della bambina. Se la teneva in braccio e la bambina si quietava[163] subito quando egli la cullava[164] camminando col suo solito dislivello[165] di quasi un metro. "Le farai venire il male di mare" ammoniva[166] la madre. Dopo un anno il signor Merti non poté più avere dubbi. Quale non fu la sua gioia! Non avrebbe potuto essere maggiore se egli stesso da un momento all'altro fosse guarito e avesse potuto smettere[167] le tante suole e la tanta ovatta. Cessò da ogni cura. Aveva il sentimento di essere liberato da

---

[158] affatto (negazione)

[159] attento, scrupoloso, preciso, fatto con cura

[160] qui, armonica struttura del corpo

[161] asserire: affermare, sostenere con forza, con vigore

[162] affannarsi: agitarsi, preoccuparsi, affaticarsi

[163] quietarsi: calmarsi, tornare alla calma, ad uno stato di quiete

[164] cullare: far dondolare un bambino nella culla oppure tenendolo fra le braccia o sulle ginocchia, per farlo addormentare o calmare

[165] differenza di altezza

[166] ammonire: mettere in guardia con energia e autorevolezza contro errori, pericoli e simili

[167] qui, togliere, smettere di portare

*Se la teneva in braccio e la bambina si quietava subito
quando egli la cullava...*

un incubo. "Non abbiamo più paura" esclamava. "Ora potremo avere tanti figliuoli quanti ne desideriamo". "Sì" diceva Amelia, "ma vediamo ancora crescere la bambina". Essa non la osservava; l'amava, Bianca era dimenticata. Donata (così era stata battezzata la bambina) ne copriva il ricordo tanto le due bambine si somigliavano. Anche questa, quando cominciò a mettere i denti, se era inquieta di notte esigeva di abbandonare il suo lettuccio e s'arrampicava[168] in quello della madre, al cui corpo aderiva[169] in cerca di calore e di altra vita. E la madre, sentendone il bisogno, si commuoveva come se l'avesse portata ancora nel suo seno così bella e bianca. Le piccole membra[170] si agitavano impensatamente[171]. Una manina si cacciava nella bocca della madre, piccola, morbida, e dentro s'apriva andando a toccare con le dita il palato[172]. Poi la bambina sedeva sul petto della madre ed era tanto lieve[173] che veniva alzata tutta e abbassata dal respiro di Amelia. Affluirono[174] alla casa ogni sorta di giocattoli che furono disposti nella stanza altre volte adibita[175] agli strumenti ortopedici. Di notte però le bambole andavano ad addobbare[176] il lettino di Donata. Ella ci dormiva in mezzo come un generale circonda-

[168] arrampicarsi: salire quasi scalando, cioè tirandosi su con la mani e i piedi
[169] aderire: stare attaccato, a contatto
[170] parti del corpo, come braccia, gambe
[171] incredibilmente
[172] parte superiore della bocca
[173] leggera
[174] affluire: arrivare
[175] utilizzata per
[176] ornare, adornare

to dalla truppa. Riposavano tutte con gli occhi chiusi. Ognuna aveva la sua teletta di notte[177] e per Amelia era un bel da fare svestirle e rivestirle tutte. Le bambole, da quelle buone piccine che erano, pigliavano sonno subito e Donata balbettava la preghiera in mezzo a loro per poi imitarle. Il signor Merti assisteva sempre alla complicata funzione. L'orgoglio lo soffocava e veniva preso da assalti[178] di risa inestinguibili[179], da lui anche la gioia aveva l'aspetto di un assalto di nervi. Spesso, mormorava all'orecchio della moglie: "Sei contenta di me?". "Sì, caro" rispondeva quasi maternamente[180] abbracciandolo. Anche lei aveva oltre che la gioia anche l'orgoglio di aver dato la vita a Donata che era anche più bella e gentile di Bianca. Nel colore bruno dei capelli s'era fuso un bagliore[181] d'oro; gli occhi s'erano ammorbiditi[182] come se vi fosse stato mescolato[183] un colore prezioso. Amelia ci aveva messa la sua bellezza; nella lotta essa aveva vinto quella sciocca signora Carini.

Non mancarono anche per lei delle paure. Un giorno Darwin le disse che i figlioli del secondo marito erano un po' parenti del primo. Ma Donata dimostrava il contrario. Le gambe diritte si muovevano nello[184] stesso ritmo. Nel bagno pestavano[185] l'acqua pro-

---

[177] toeletta, vestito per la notte
[178] qui, scoppi improvvisi
[179] inesauribili, interminabili
[180] in modo materno, come una madre
[181] riflesso, luce
[182] ammorbidire: rendere morbido, tenero, dolce
[183] mescolare: mettere insieme sostanze diverse, o diverse quantità di una stessa sostanza, in modo da formare una sola massa
[184] con lo
[185] pestare: premere, pigiare con i piedi

ducendo ambedue[186] lo stesso suono. Non si poteva fidarsi[187] neppure di Darwin a questo mondo.

[186] entrambe, tutte e due
[187] avere fiducia

1. Completa le seguenti frasi:

1. Il signor Carini era

....

2. Il signor Carini chiese ospitalità al Merti per

....

3. Amalia trovò il signor Carini

....

4. Il nome Bianca era appropriato perché

....

5. Amalia si affezionò così tanto a Bianca da

....

6. Pur di avere una figlia sana e bella come Bianca

....

7. Il Carini voleva partire al più presto perché

....

8. Amalia non ebbe bisogno di andare a Roma

....

9. Dopo la nascita di Donata il Merti

....

10. Mentre il Merti avrebbe desiderato altri figli

....

2. Collega in modo logico

1. Inizialmente Amalia trova la signora Carini

2. Il Carini trova Amalia

3. Dopo l'avventura il Carini pensa che Amalia sia

4. Amalia si immaginava che il Carini fosse

5. La signora Carini notò che il marito era molto

6. I Carini decidono di restare dai Merti

7. Il Carini decide di partire dopo

8. La figlia maggiore dei Carini si chiama

9. Secondo Amalia sua figlia è ancor più bella di

10. Nel ricordo l'immagine di Bianca si confuse con quella di

a. due settimane

b. fine e gentile

c. bellissima

d. insignificante

e. allegro

f. otto giorni

g. Achille

h. Gemma

i. folle

l. Bianca

51

Parte Terza

*I*l vecchio dottor Gherich ch'era stato il suo conforto[188] durante la malattia di Achille le comunicò un giorno ch'egli intendeva cessare dalla pratica e le domandò di poter presentarle suo figlio Paolo che avrebbe potuto sostituirlo. Prometteva che non avrebbe mancato di coadiuvare[189] suo figlio ogni qualvolta ce ne sarebbe stato bisogno. Amelia aderì[190] volentieri. Il nuovo dottore era un uomo di media età, biondo, serio, il collo un po' piccolo per cui aveva un aspetto alquanto rigido, aumentato dall'alto solino[191] che usava. Portava una barba bionda intera. Faceva l'impressione di una persona seria. La consegna del suo cliente al figlio avvenne da parte del vecchio dottore con una certa solennità[192]. Egli raccontò tutta la storia della famiglia incominciando addirittura dalla caduta fatta dal Merti dalle mani della balia. Amelia sorridendo tentò d'interrompere: "Oh! quella, grazie al Cielo[193], non ha più importanza". Ma il dottore con voce commossa raccontò tutto quello che aveva sofferto Amelia fino alla morte di Achille. Gli occhi azzurri di Paolo si stabilivano con un aspetto evidente di ammirazione su Amelia che fece venire subito la piccola Donata. Paolo la guardò e senza ciarlataneria[194]

---

[188] aiuto morale, consolazione, sollievo
[189] prestare aiuto a qualcuno, collaborare
[190] aderire: accettare, acconsentire
[191] colletto staccato per camicia da uomo
[192] in modo formale, serio, con grande cerimoniale
[193] qui, Dio
[194] vantare abilità che non si possiedono, sfruttando la buona fede altrui a proprio vantaggio

solino

Il nuovo dottore era un uomo di media età, biondo, serio...

ammirando la figurina che cominciava ad allungarsi sempre conservando una piena armonia di forme dichiarò: «Non occorre mica[195] essere stati all'università per capire che qui c'è tutta la salute» S'informò minutamente[196] del modo come veniva nutrita Donata e raccomandò da medico moderno di diminuirle molto le razioni[197] di carne. S'informò poi di Amelia.

Ella stava benissimo e così egli non ebbe neppure il piacere di toccarle il polso.

Poi ci fu una seconda visita del vecchio dottor Gherich. Raccontò come il figlio fosse un uomo già noto per certe sue pubblicazioni sulle paralisi[198] infantili. Anzi le porse[199] un opuscolo[200] ch'essa poi tentò di leggere smettendo solo dopo essersi imbattuta[201] in qualche termine tecnico. Si capiva che al dottor Gherich premeva soprattutto di conservare al figlio la clientela del milionario. Amelia stava ad ascoltare per l'affetto che nutriva per il vecchio signore ma quando egli cominciò a farle anche la biografia[202] del figlio ella ebbe pena per costringersi ad ascoltarlo. Il vecchio signore raccontò delle virtù famigliari del figlio. Aveva sposata una ragazza dabbene[203] che ora dava segni di perdere il bene dell'in-

---

[195] per nulla, affatto, minimamente
[196] in modo particolareggiato, con precisione ed esattezza
[197] porzioni, quantità
[198] blocco, arresto permanente (durevole) o transitorio (passeggero) della funzione motoria, cioè del movimento, di uno o più muscoli
[199] porgere: dare, offrire
[200] libro di poche pagine, di carattere divulgativo o pubblicitario
[201] imbattersi: incontrare per caso
[202] storia della vita di una persona
[203] perbene, buona, onesta

telletto; perseguitava[204] il marito con un odio motivato da niente. "I suoi genitori saranno stati pazzi anch'essi?". "Il solo padre" corresse il Gherich sorridendo. "Ma noi si credeva che la sua pazzia fosse derivata da una terribile caduta". "Dalle mani della balia?" domandò Amelia senz'alcuna malizia. "No! molto più tardi; dopo la nascita della figlia. Perciò *lì* (e il buon dottore dedicò all'avverbio un accento speciale) la caduta non ha niente a fare con la malattia". Il dottor Paolo aveva però una consolazione a questo mondo nel suo figliuolo bravo, bello e buono. E anche questo rimase impresso[205] ad Amelia. "Se è così" essa disse "il dottor Paolo non è da compiangere[206]".

Il suo posto di medico in casa venne conquistato dal dottor Paolo stesso. Una domenica Donata era di malavoglia[207]. Pianse e gridò dalla mattina alla sera. Calato il sole Amelia, praticissima nel maneggiare[208] termometri constatò un leggero aumento di temperatura. Si telefonò per un medico ma a quell'ora e di festa non fu possibile averlo. Già il Merti consigliava di rinunziarvi per quella sera trattandosi di una indisposizione[209] certo di non grande importanza quando la piccola Donata fu colta da un

termometro

---

[204] perseguitare: tormentare, dare fastidio, molestare senza sosta e in modo insopportabile
[205] fisso, stampato nella memoria
[206] provare compassione, pietà per qualcuno
[207] annoiata
[208] tenere tra le mani, saper usare
[209] leggera, lieve malattia/infermità

accesso[210] di tosse che non voleva cessare. La bambinaia mormorò: "Che non sia il *crup*[211]". La
casa fu subito per aria. Tutta la ser-
vitù fu lanciata in città in cerca di
un dottore. Amelia si teneva la
bambina stretta al petto, livida[212]
dallo spavento. Altrettanto spaven-

tosse

tato il Merti. Finalmente si trovò un medico arrivato il
giorno prima dall'università. Trovandosi per la prima
volta in quel putiferio[213] anche lui perdette la testa. La
mamma e il babbo erano tanto lividi ch'egli pensò a un
principio di soffocamento. "Io non posso dire altro" sentenziò[214], "che dovete trasportare subito la bambina al-

cocchiere

l'ospedale[215]. Avete mezz'ora
di tempo". Amelia non se lo
fece dire due volte. Coperse la bambina con tre o quattro coperte e corse senza
cappello giù per le scale.
Ella avrebbe salvata Donata! Per fortuna sulle scale

s'imbatté[216] nel dottor Paolo, ch'era stato scovato[217]
fuori dal cocchiere. Egli guardò con attenzione la bam-

---

[210] manifestazione di malattia improvvisa e di breve durata

[211] tosse; comune nei bambini fra il primo e il terzo anno di vita, è causa-
ta da allergia, infezioni, ecc.

[212] pallida, con il volto di colore bluastro perché turbata, preoccupata

[213] confusione, estremo disordine

[214] sentenziare: esprimere un parere, una decisione con autorità

[215] ospedale

[216] imbattersi: incontrare per caso

[217] scovare: riuscire a trovare qualcuno o qualcosa a lungo cercato

... e corse senza cappello giù per le scale

bina che, spaventata, urlava come un'aquila e poté tranquillare[218] subito tutti. La bambina aveva un leggero raffreddore e nient'altro. Subito Amelia gli credette e la sua gioia fu tale che, arrivata nella sua stanza, deposta la bambina sul letto cadde riversa[219], priva di sensi. E fu la prima volta ch'ebbe bisogno ella stessa del dottore. Essa stette subito bene ma la cura fece ammalare il dottore.

aquila

Amelia poté accorgersi subito agli sguardi del dottore alla voce che gli si velava quando le indirizzava la parola, come egli volesse dedicare le sue cure specialmente a lei. Ne fu turbata e seccata. Non temeva di nulla ma avrebbe amato per la propria e la tranquillità del marito (che a volte sapeva essere geloso) di avere un medico meno giovane e soprattutto meno innamorato.

Il giovine medico cominciò anche a venire troppo di frequente. Un giorno a lei parve leggere negli occhi di Paolo quasi una intenzione di aggressione[220]. Ne fu spaventata un po'. Nel corso della conversazione e forse neppure troppo a proposito trovò il modo di proclamare: "Io amo mio marito". I suoi occhi azzurri si fissavano freddi sul medico. Parevano due pezzettini di piastra[221] dura e lucente. Il desiderio di costui la

---

[218] calmare, rendere tranquillo, tranquillizzare
[219] supina, con il viso e la pancia rivolti all'insù
[220] attacco, assalto improvviso e violento
[221] pezzo più o meno sottile di metallo, pietra, legno, vetro o altro

"Io amo mio marito..."
Paolo piegò il capo scorato

offendeva. Ripeté anche: "Io amo mio marito". Ad ogni modo si capiva ch'ella non dubitava ci fossero delle ragioni che ai terzi potevano far dubitare di tale suo amore, altrimenti non ci avrebbe messa tanta enfasi[222] .

Paolo piegò il capo scorato[223]. Egli era già arrivato a quel punto della passione nella quale ogni alterigia[224] è definitivamente smessa. Oltre che la bellezza egli amava in Amelia la virtù. Oh! se sua moglie fosse stata così (egli si diceva) egli avrebbe passata la vita ai suoi ginocchi. Il lusso di quel palazzo faceva risaltare[225] meglio la modestia di Amelia. Come si capiva che l'unica cosa di quel palazzo cui ella fosse attaccata era quella sua figliuola Donata. Quella stessa Donata era la prova vivente dell'eccellenza dell'organismo della madre. Quell'organismo, crogiuolo[226] delicato e purificante[227], aveva annullata la tabe[228] del padre!

"Signora!" egli disse e non volle rinunciare al godimento di parlare del proprio amore. "Signora! Io amo e stimo anche vostro marito". Gli occhi azzurri s'addolcirono[229] .

"Permettete" proseguì egli dopo una lieve esitazione, "che io continui le mie cure a Donata. Io spero che

---

[222] esagerazione, passionalità
[223] sfiduciato, avvilito
[224] orgoglio, superbia, presunzione, arroganza
[225] mettere in evidenza, apparire evidente
[226] recipiente in maggior parte fatto di terra refrattaria (che resiste alle alte temperature) dove si fondono i metalli
[227] che purifica, che rende puro
[228] consunzione, infezione generata da malattie croniche
[229] addolcirsi: diventare più dolce

la mia presenza non vi offenda tanto da costringermi ad allontanarmi da questa casa. Se avessi a recarvi dispiacere l'abbandonerei da me". Ella disse con dolcezza: "Vi sono anzi riconoscente[230] delle vostre cure per Donata e vi prego di continuargliele".

Egli non sentì che la dolcezza che c'era in quella voce e non il senso delle parole. Ebbe il torto di afferrarle una mano; ella gliela tolse con disdegno[231]. Si separarono lui umile, supplichevole[232], essa con evidente premura[233] di vederlo fuori della porta. Ed essa ritornando alle sue solite occupazioni pensava di dover lagnarsi[234] del contegno[235] di Paolo col padre suo. Il disdegno le arcuava[236] le belle labbra. Lui invece scendeva le scale esitante. Certo sarebbe stato raggiunto da una letterina di congedo[237]. Non avrebbe fatte più quelle scale. E il suo dolore era non di aver osato troppo ma di aver osato troppo poco. Della clientela[238] o di Donata gl'importava poco. Non avrebbe più avuta l'occasione di dire le tante parole che gli erano suggerite dalla sua passione. Prima tutto dedicato ai suoi studii, poi legato ad una donna che non amava, Paolo in amore era anche più giovane di quanto lo fosse per età. Egli avrebbe voluto gli fosse stato per-

---

[230] grato, obbligato, che prova riconoscenza
[231] rabbia, ira, sdegno, disprezzo
[232] in tono, con atteggiamento di umile preghiera
[233] fretta, urgenza
[234] lamentarsi, protestare
[235] comportamento, condotta
[236] arcuare: piegare a forma di arco
[237] invito, ordine ad andarsene, a partire
[238] insieme dei clienti di un negoziante, di un professionista, e simili

*... amava passare sotto il palazzo o fermarvisi di faccia
a fissare le finestre chiuse*

messo di baciare il lembo[239] del vestito di Amelia, o, tutt'al più, la sua mano. Di sera da quel ragazzo che era amava passare sotto il palazzo o fermarvisi di faccia a fissare le finestre chiuse. Scriveva anche versi il povero dottore! Certi suoi istinti poetici soffocati dalla medicina e dalla vita ritornavano rigogliosi[240] a galla[241]. All'ospitale i suoi ammalati che sempre lo avevano amato sentivano nelle sue parole e nelle sue cure una nuova dolcezza. Causa il proprio grande dolore era divenuto più sensibile ai dolori di tutti.

Ad ogni modo ebbe la consolazione di non ricevere l'attesa lettera di congedo. Anzi un giorno che s'imbatté nel Merti, questi lo arrestò per domandargli perché non lo si vedesse più da loro. "Grazie al Cielo non avete bisogno di me" si sforzò Paolo di sorridere. "Lo so, lo so!" disse giocondamente[242] il Merti che s'era appoggiato allo stipite di una porta. "Tuttavia gli amici si vedono sempre volentieri». Gli offerse la mano e poi con uno slancio[243] si staccò dal muro e si avviò a zoppicare oltre. Ma Paolo non corrispose all'invito. Non vole-

stipite

239 estremità, orlo, bordo
240 pieni di vigore, di forza
241 in superficie
242 allegramente, lietamente, con gioia
243 scatto, balzo

Carletto allora decenne camminava con un piccolo passo elastico accanto al padre

va più veder mutarsi per lui gli occhi azzurri raggianti in piastrine dure metalliche[244].

Un pomeriggio Paolo era uscito col fgliuolo per fargli prendere aria. Era una di quelle giornate soleggiate in cui l'inverno stanco prende un riposo. Alla spiaggia c'era un grande tepore[245] primaverile e Carletto allora decenne camminava con un piccolo passo elastico[246] accanto al padre. Era uno splendido fanciullo bianco, rosso e biondo.

L'equipaggio[247] dei Merti che Paolo riconobbe subito era fermo in mezzo alla via. Dentro, coperto di pellicce[248] riposava il Merti mentre alcuni passi più innanzi camminavano Amelia e Donata. Paolo volentieri sarebbe passato oltre, anzi trasse un po' bruscamente[249] a sé il fanciullo per fargli accelerare[250] il passo. Fu sforzo vano. Il Merti esclamò dalla carrozza "Oh! dottore!" e subito beato[251] di aver l'occasione di richiamare a sé la moglie, urlò: "Amelia!". Così Amelia e la bambina furono presto accanto all'equipaggio ove li attendeva Paolo col figlio suo. Donata aveva allora sei anni e s'intimidì[252] al vedere una nuova faccia. Amelia aveva salutato Paolo gentilmente, decisa come era di non privare la figlia di un medico ch'essa stimava moltissimo. Poi si scherzò e si finì

[244] di metallo, come il ferro, il rame, il piombo, ecc.
[245] caldo moderato e gradevole
[246] leggero, agile, sciolto
[247] carrozza signorile
[248] pelli di animali conciate, con il pelo morbido e lucente
[249] in modo sgarbato, burbero, improvviso, senza complimenti
[250] rendere più rapido, affrettare
[251] felice
[252] intimidirsi: avere timore o spavento, diventare timido

con l'obbligare Donata a dare la manina a Carletto e camminare con lui. Carletto gentilmente trattenne la manina del piccolo essere che gli trotterellava[253] accanto. Amelia con gli occhi lucenti guardava i due piccoli animali, ugualmente belli la cui differenza di colore risaltava maggiormente nella viva luce solare.

"Li mariteremo insieme!" disse essa sorridendo. "Sì" disse Paolo. Lui non guardava i bambini e dalla beatitudine non aveva parole. Se la carrozza non avesse cigolato presso i

---

[253] trotterellare: camminare in fretta, quasi correndo, con piccoli passi saltellanti

*Carletto gentilmente trattenne la manina del piccolo essere che gli
trotterellava accanto*

1. Correggi le seguenti affermazioni:

1. Il vecchio dottore le raccontò che suo figlio Paolo aveva la moglie malata.

....

2. Il dottor Paolo si era appena laureato.

....

3. Il dottor Paolo insegnava anche all'università.

....

4. Secondo il dottor Paolo Donata doveva mangiare più verdure.

....

5. Secondo Amalia il dottor Paolo era da compiangere per la malattia della moglie.

....

6. Carlo aveva la stessa età di Donata.

....

7. Amalia temeva che qualcuno supponesse che non amava suo marito.

....

8. Quando il dottor Paolo le dichiarò il suo amore Amalia decise di lincenziarlo.

....

9. Secondo Paolo il lusso in cui Amalia viveva ne metteva ancor più in risalto la sua bellezza.

....

10. Anche dopo essere stato respinto il dottor Paolo cercava in ogni modo di incontrare Amalia.

....

2. Metti le seguenti frasi nel giusto ordine temporale:

1. A quel punto Amalia svenne dalla tensione.
2. Ma decise di non licenziarlo.
3. Chiese ad Amalia di presentarLe suo figlio.
4. Una domenica Donata si sentì male.
5. Tuttavia il dottor Paolo si conquistò da solo la fiducia dei Merti.
6. E cominciò a far visita troppo di frequente.
7. Amalia accettò.
8. Allora Amalia gli ricordò che era innamorata del marito.
9. Parlò a lungo ad Amalia delle virtù del figlio.
10. Per fortuna arrivò il dottor Paolo.
11. Il giovane dottore disse di portarla subito all'ospedale.
12. Tranquillizzò tutti dicendo che era raffreddore.
13. Promise anche di collaborare col figlio in caso di necessità.
14. Al vederla così bella riversa sul letto il dottor Paolo si innamorò follemente.
15. Trovarono un giovane dottore appena laureato.
16. Il vecchio dottor Gherich decise di ritirarsi dal lavoro.
17. Amalia si stava precipitando all'ospedale di corsa.
18. Amalia capiva che gli premeva conservare al figlio la ricca clientela.
19. Non voleva privare Donata di un bravo medico.
20. Ma oltre alla bellezza egli amava anche la virtù.

L'ordine giusto è: ....

Esercizi

1. Completa le frasi tratte dal testo con il passato remoto dei seguenti verbi:

> *addolcirsi, affluire, andare, credere, dormire, dovere, guardare, guarire, passare, potere, sentirsi*

1. Emilio Merti la .... con occhi lucenti di commozione.
2. Subito Amalia gli ....
3. I due coniugi .... un anno delizioso.
4. In poche settimane il piede sinistro ....
5. Quando la piccola cassa fu portata via, Amalia .... sola.
6. Lei e la madre .... presto d'accordo.
7. Bianca .... nel letto del signor Merti che .... emigrare dalla stanza di sua moglie.
8. Ogni sorta di giocattoli .... alla casa.
9. Il signor Merti non .... più avere dubbi.
10. Gli occhi azzzurri ....

2. Completa le frasi con il passato remoto. Attenzione, s tratta di verbi irregolari!

1. Alla fanciulla (piacere) .... quella faccin fine e dolce.
2. Amelia la (stringere) .... al seno.
3. Quando Amalia lo (vedere) .... muoversi scoppiò quasi dal ridere.
4. Il milionario (venire) .... e (fare) ....
   .... la dichiarazione.
5. Amalia dopo due anni (avere) .... il su primo bambino.
6. Un giorno il bambino (mettersi) .... a let to con il raffreddore.
7. Bianca e Achille ben presto (confondersi) ....
   .... insieme.
8. Amalia (cadere) .... sul letto priva di sensi
9. Amalia e la bambina (essere) .... prest accanto all'equipaggio.
10. Il giorno dopo il signor Carini (volere) ....
    approfittare di un momento in cui li avevano lasciati soli.

3. Completa le frasi al tempo opportuno, nella forma passiva, dei seguenti verbi:

abituare, cogliere (2), coprire, cogliere, disporre, lasciare, occupare, portare, ricevere, scrivere

1. La bambina dormiva ed .... solo da una camiciuola.

2. Amelia fin da bambina .... a veder esaudito ogni suo desiderio.

3. Il Merti .... un giorno dalla madre di Amelia.

4. Un giorno Donata .... da un accesso di tosse.

5. Alla terza lezione il Merti cadde e .... via in lettiga.

6. Il padre poverino, disse Amelia, ... cadere a terra da una balia.

7. I giocattoli .... nella stanza.

8. La sua vita .... giornalmente da conoscenze nuove e vecchie.

9. Amelia aveva l'abitudine di leggere i libri così come ....

10. Ogni tanto il signor Merti .... da assalti di risa.

4. Trasforma le seguenti frasi usando il *si* impersonale o passivante:

1. Quando mai uno ha visto trattare così una ragazza?
   ....

2. Dalla capitale furono fatti venire dei medici.
   ....

3. Ora venivano fatti i complimenti!
   ....

4. Una persona vede sempre volentieri gli amici.
   ....

5. Amelia non era commossa dal fatto che venisse fatto tanto per la sua felicità.
   ....

6. Uno non poteva fidarsi neppure di Darwin a questo mondo.
   ....

7. Alla fine fu trovato un medico, arrivato il giorno prima dall'università.
   ....

8. Come è possibile che uno tratti così una ragazza dabbene?
   ....

9. Uno capiva facilmente che al dottore premeva soprattutto di conservare al figlio la ricca clientela.
   ....

10. Se Achille fosse stato sottoposto alla nascita ad un'indagine tanto accurata, uno avrebbe potuto prevedere il suo sviluppo.
    ....

5. Completa le seguenti frasi tratte dal testo facendo attenzione alla concordanza dei tempi:

1. Un giorno il padre le disse che un milionario (domandare) .... la sua mano.
2. Il Merti le raccontò che da bambino una balia lo (lasciare) .... cadere.
3. Un giorno Darwin le disse che i figli del secondo marito (essere) .... un po' parenti del primo.
4. Il dottore raccontò quello che Amalia (soffrire) .... fino alla morte di Achille.
5. Il vecchio signore le raccontò che il figlio (sposare) .... una ragazza che ora (dare) .... segni di perdere il ben dell'intelletto.
6. Il dottore promise che egli non (mancare) .... di coadiuvare suo figlio.
7. Lo sposo le spiegò che la sua gamba destra (smettere) .... di crescere a una certa età.
8. Il signor Merti scrisse che (venire) .... a riprendere presto la famiglia.
9. Il vecchio dottor Gherich le comunicò un giorno che (intendere) .... cessare la pratica e che suo figlio Paolo (potere) .... sostituirlo.
10. Erano rimasti d'accordo che i Carini (approfittare) .... dell'ospitalità ancora per 15 giorni.

Osserva bene le frasi:

Se le azioni sono contemporanee nella frase dipendente, si usa l'imperfetto.

Se l'azione espressa nella frase secondaria è anteriore, si usa..................................... .

Se l'azione espressa nella frase secondaria è posteriore, si usa..................................... .

6. Completa le frasi usando uno dei seguenti avverbi (aggettivi al grado opportuno:

> *bene, male, buono, bravo, cattivo, grande, piccolo, bello*

1. Il padre sapeva le cose .... di sua figlia.
2. Amelia era stata educata ai .... principi.
3. Amelia era un' .... fanciulla. Aveva compiuto tutti i suoi studi e molto.......................... .
4. Achille, seccato forse da tante cure, cresceva .... parecchio.
5. Il Carini partì con un .... umore di quello che aveva portato.
6. Il Carini, da abitante di capitale, annusava la .... avventura.
7. Paolo aveva un figliuolo ...., bello e buono.
8. S'informò poi di Amelia. Ella stava ....
9. La sua gioia non avrebbe potuto essere .... se egli stesso fosse guarito.
10. Essa lo sopportava volentieri dolce e .... com'era.
11. Quella .... donna gli pareva tanto anormale da averne paura.
12. Gemma, la ...., aveva l'aspetto di .... madre, quando teneva per mano Bianca, la............. ....
13. Se le avessero lasciato quella bimba per tutta la vita ella non avrebbe chiesto di ....
14. C'era una stanza del palazzo piena di strumenti ortopedici tutti appaiati, uno .... e uno grande.
15. Il lusso di quel palazzo faceva risaltare .... la modestia di Amelia.

78

7. Collega le due frasi con un pronome relativo, come nei seguenti esempi:

* *Si fecero venire dalla capitale dei medici illustri **a cui** si parlava della febbre.*
* *Il ragazzo **che** hai visto è mio fratello.*

1. Il Carini cercò di approfittare di un momento .... li avevano lasciati soli.

2. Aveva sposato una ragazza .... ora dava segni di perdere il ben dell'intelletto.

3. La piccola, ... faceva i denti, si destava talvolta piangendo.

4. A lei tali gioielli non importavano ma capiva il desiderio di compiacerla .... le venivano fatti.

5. Come era differente dal suo bambino .... in cuor suo chiedeva perdono perché lo tradiva.

6. Era una di quelle giornate .... l'inverno stanco prende un po' di riposo.

7. La notte si arrampicava nel letto della madre .... corpo aderiva in cerca di calore.

8. Per fortuna si imbatté nel dottor Paolo .... era stato scovato fuori dal cocchiere.

9. Amelia uscì per un istante dal sogno .... era stata posta dal dolore del distacco.

10. Amalia guardava i due piccoli ugualmente belli, ... differenza di colore risaltava nella viva luce solare.

8. Completa le due colonne con l'aggettivo o il nome corripondenti

Aggettivo	Nome
buono	....
bravo	....
....	cattiveria
dolce	....
forte	....
povero	....
ricco	....
....	umiltà
....	invidia
....	gratitudine

9. Nel testo spesso le parti del corpo appaiono nella loro forma diminutiva. Cerchia il giusto diminutivo fra i due qui proposti

1. Bocca:	Bocchetta	Boccuccia
2. Collo:	Colletto	Collino
3. Corpo:	Corpino	Corpicino
4. Dente:	Dentino	Dentello
5. Guancia:	Guancetta	Guancialino
6. Mani:	Manette	Manine
7. Naso:	Nasino	Nasello
8. Occhio:	Occhiello	Occhino
9. Orecchie:	Orecchiette	Orecchini
10. Unghia:	Unghiette	Unghielli

10. Collega i verbi presenti nel testo con i relativi sinonimi di uso più frequente oggi

1. Ledere	a- decidersi
2. Maritare	b- svegliarsi
3. Risolversi	c- infilarsi
4. Destarsi	d- rovesciare
5. Cacciarsi	e- lamentarsi
6. Riversare	f- calmarsi
7. Lagnarsi	g- smettere
8. Cessare	h- cambiare
9. Quietarsi	i- sposare
10. Mutare	l- fare male

1. ...; 2. ...; 3. ...; 4. ...; 5. ...; 6. ...; 7. ...; 8. ...; 9. ...; 10. ... .

11. Sostituisci i seguenti passati remoti presenti nel testo con le forme oggi più usate:

1. Anche lui *perdette* .... la testa.

2. Amelia *coperse* .... la bambina con tre o quattro coperte.

3. Esaminando lo sposo *scoperse* .... che lo stivale destro aveva una quindicina di centimetri di suola.

4. Il suo cuore *s'aperse* .... intero alla maternità.

5. Il Merti gli *offerse* .... la mano e poi si avviò a zoppicare oltre.

12. Nel racconto compaiono delle parole che, a seconda del genere (maschile o femminile), assumono un diverso significato. Inserisci nelle frasi il termine appropriato

1. I soldati inviano lettere da .... (il fronte - la fronte).

2. Ho bisogno di un po' di .... (collo - colla) per attaccare queste foto.

3. Il ladro gli puntò la pistola a .... (il tempio - la tempia).

4. Mi piace la granita a .... (il mento - la menta).

5. (il gambo - la gamba) .... dei funghi è buono fritto.

6. Ho un forte mal di .... (testo - testa).

7. Signora, queste scarpe hanno .... (il suolo - la suola) di gomma.

8. Roma è .... (la capitale - il capitale) d'Italia.

9. È terribile vivere senza .... (una scopa - uno scopo).

10. Non è (la casa - il caso) .... che si disturbi per me!

13. *Roberto non dispone del becco di un quattrino* dice il padre ad Amelia. intendendo dire che è povero. Numerose sono le espressioni con questa parola. Inserisci le seguenti nelle frasi sottostanti:

---

mettere il becco, chiudere il becco, avere un battibecco, restare a becco asciutto, non avere il becco di un quattrino, tenere il becco chiuso, bagnarsi il becco, avere il becco lungo

---

1. Per favore ....! Non ne posso più delle tue chiacchiere.
2. Perché vuoi sempre .... negli affari miei?!
3. Oggi a scuola .... con un compagno.
4. Paolo sperava di essere dichiarato erede universale e invece...................... .
5. .... ! Figurati se posso comprarmi la macchina!
6. Puoi dirgli tutto. Sta' sicuro che ....
7. Maria non sa tenere un segreto, ...
8. Quando parla a lungo, ha bisogno di .... di tanto in tanto.

14. Scegli e cerchia il significato giusto tra quelli propost

1. Andare a rotoli
   a) avere successo
   b) essere in crisi
   c) andare veloci

2. Andare a gonfie vele
   a) avere successo
   b) essere in crisi
   c) andare veloce

3. Andare in collera
   a) rallegrarsi
   b) calmarsi
   c) adirasi

4. Andare a ruba
   a) essere ricercato
   b) essere derubato
   c) essere un ladro

5. Andare a male
   a) deteriorarsi
   b) arrabbiarsi
   c) impermalirsi

6. Andarci di mezzo
   a) essere coinvolto
   b) essere ricercato
   c) essere circondato

7. Andare a monte
   a) arrampicarsi
   b) raggiungere un traguardo
   c) non riuscire, mancare

8. Andare a fondo
   a) inabissarsi
   b) scendere
   c) tuffarsi

9. Andare in onda
   a) navigare
   b) nuotare
   c) essere trasmesso dai mass medi

10. Andare a tempo
    a) camminare piano
    b) rispettare i turni
    c) seguire il ritmo

15. **Nel racconto si indugia molto sulla descrizione fisica dei personaggi. Parti del corpo vengono però usate di frequente in espressioni idiomatiche. Prova a completare le seguenti espressioni con la giusta parte del corpo:**

1. È molto generoso, è una persona di (fegato - cuore - polso).
2. È molto autorevole, è una persona di (fegato - cuore-polso).
3. È molto coraggioso, ha (fegato - cuore - polso).
4. È molto bravo, è una persona in (piedi - gamba - spalla).
5. Questo discorso non è logico, non sta in (piedi - mano - spalla).
6. Tengo sempre le medicine a portata di (mano - bocca - braccio).
7. È arrabbiatissimo, è fuori di (piedi - testa - occhi).
8. È veramente crudele, è senza (fegato - cuore - polso).
9. Ha preso sotto (piedi - gamba - braccio) la scuola ed è stato bocciato.
10. Bisogna andarci in macchina perché è fuori (piedi - gamba - mano).

16. Inserisci l'aggettivo appropriato nelle seguenti espressioni idiomatiche:

> *aperto (2), avvelenato, bucato, buono, caldo,*
> *destro, duro, lungo, tondo*

1. Ha la lingua, ... non raccontargli troppo.
2. Ha il dente .... con te. Si vendicherà.
3. Ha le mani .... e spende troppo.
4. È di spalle .... e non ha voglia di lavorare.
5. Tutte le volte che vado a trovarli mi accolgono a braccia
   ....
6. Senza di lui non farebbe niente, è il suo braccio ....
   ....
7. È un osso ...., non si arrenderà facilmente.
8. Non ti preoccupare per la cena, è di bocca ....
9. Anche se è vecchio, è di mente ....
10. È una testa ...., si arrabbia troppo facilmente

17. **Il titolo del racconto è *La buonissima madre*.**
Individua il significato dei seguenti termini legati alla
parola *madre*:

1. Ragazza madre

2. Madrina

3. Matrigna

4. Madrepatria

5. Lingua madre

6. Casa madre

7. Scena madre

8. Idea madre

9. Regina madre

10. Madreperla

a) donna con cui si è risposato
   il proprio padre

b) paese di origine

c) la lingua materna

d) sede principale di un'industria

e) episodio centrale di uno
   spettacolo

f) donna che tiene a battesimo o
   cresima un bambino

g) pietra di colore chiaro derivata
   dalla conchiglia di alcuni
   molluschi

h) la vedova di un re dopo che il
   figlio è diventato sovrano

i) donna che ha avuto un figlio
   senza essere sposata

l) pensiero originale alla base di
   un progetto, di un lavoro

18. Spesso al posto del superlativo *buonissimo* si usa l'espressione *buono come il pane*. Inserisci il giusto termine di paragone nelle seguenti frasi:

> *il cielo, una campana, un fulmine, una talpa, il ghiaccio, una lumaca, il miele, il mare, la neve, l'olio, la pece, un pesce, una rosa, una Pasqua, un verme*

1. Bianco come ....

2. Dolce come ....

3. Nero come..

4. Fresco come ....

5. Liscio come..

6. Nudo come..

7. Sordo come ....

8. Veloce come ....

9. Lento come ....

10. Muto come..

11. Azzurro come ....

12. Freddo come ....

13. Cieco come ....

14. Felice come ....

15. Profondo come..

19. Prova a scrivere tu il seguito di questo racconto che l'autore non ha completato:

....
....
....
....
....
....
....
....
....
....
....
....
....
....
....
....
....
....
....
....
....
....
....
....
....
....
....
....
....
....
....
....
....
....

Chiavi

Parte Prima

Esercizio 1
Esempi di risposte possibili

1. Amalia si era innamorata di suo cugino Roberto.
2. Emilio Merti è un milionario del paese che ha chiesto la mano di Amalia.
3. Decide di sposarlo per far dispetto a suo cugino, perché si tratta di un buon partito, come le ha spiegato il padre, ma anche perché la tragica storia della sua caduta da piccolo l'ha commossa e i suoi modi e tratti gentili l'hanno colpita.
4. Perché non si fida delle balie, dopo la brutta esperienza avuta dal marito.
5. Se la spiega come un'eredità acquisita dall'ambiente, cioè la caduta avrebbe non solo leso l'organismo del Merti ma modificato per sempre anche la sua eredità genetica.

Esercizio 2
1/F; 2/V; 3/V; 4/F; 5/V; 6/F; 7/V; 8/V; 9/F; 10/V.

Parte Seconda

Esercizio 1
(esempi di possibili completamenti)

1. ... un collega d'affari romano del marito.
2. ... la moglie e le due figlie.
3. ... piuttosto grossolano.
4. ... aveva la pelle bianchissima, quasi trasparente.
5. ... dimenticare Achille.
6. ... decise di tradire il marito e di concedersi al Carini.
7. …iniziava ad aver paura di Amalia, la credeva pazza.
8. …perché era già rimasta incinta.
9. …abbandonò ogni cura.
10. …il desiderio di maternità di Amalia era pienamente appagato da Donata.

Esercizio 2
1/d; 2/c; 3/i; 4/b; 5/e; 6/a; 7/f; 8/h; 9/l; 10g.

Parte Terza

Esercizio 1
1. Aveva la moglie pazza e non malata.
2. Si era laureato da tempo ed era già noto per alcune pubblicazioni.
3. Lavorava all'ospedale e non all'università.
4. Meno carne.
5. Non era da compiangere perché comunque aveva un figlio bello e bravo.
6. Carlo era più grande di Donata, aveva dieci anni.
7. Secondo Amalia nessuno doveva mettere in dubbio il suo amore per il marito, anche se c'erano delle ragioni che potevano farne dubitare.
8. Decise di non licenziarlo perché era un bravo medico.
9. La sua modestia.
10. Evitava in tutti i modi di incontrarla

Esercizio 2
16; 3; 7; 9; 13; 18; 5; 4; 15; 11; 17; 10; 12; 1; 14; 20; 6; 8; 2; 19.

Esercizi finali

Esercizi 1
1. guardò; 2. credette; 3. passarono; 4. guarì; 5. si sentì; 6. andarono; 7. dormì, dovette; 8. affluì; 9. poté; 10. si addolcirono.

Esercizi 2
1. piacque; 2. strinse; 3. vide; 4. venne, fece; 5. ebbe; 6. si mise; 7. si confusero; 8. cadde; 9. furono; 10. volle.

Esercizi 3
1. era coperta; 2. era stata abituata; 3. fu/ venne ricevuto; 4. fu

enne colta; 5. fu/venne portato via; 6. era stato lasciato; 7. furo-
o/ vennero disposti; 8. era occupata; 9. erano/venivano scritti;
0. era/veniva colto.

Esercizi 4

. quando si è mai visto; 2. si fecero venire; 3. ora si facevano;
. gli amici si vedono; 5. si facesse tanto; 6. non ci si poteva
dare; 7. alla fine si trovò un medico; 8. che si tratti così; 9. si
apiva; 10. si sarebbe potuto prevedere.

Esercizi 5

. aveva domandato; 2. aveva lasciato; 3. erano; 4. aveva sof-
erto; 5. aveva sposato, dava; 6. avrebbe mancato; 7. aveva
messo; 8. sarebbe venuto; 9. intendeva, avrebbe potuto/pote-
a; 10. avrebbero approfittato.

Esercizi 6

. meglio; 2. migliori; 3. ottima, bene; 4. cattivo; 5. peggiore;
. buona; 7. bravo; 8. benissimo; 9. maggiore; 10. buono; 11.
ella; 12. maggiore, piccola, minore; 13. meglio; 14. piccolo;
5. meglio.

Esercizi 7

. in cui; 2. che; 3. che; 4. per/con cui; 5. (a) cui; 6. in cui; 7. al
ui; 8. che; 9. in cui; 10. la cui.

Esercizio 8

Bontà, bravura, cattivo, dolcezza, forza, povertà, ricchezza, umi-
e, invidioso, grato.

Esercizio 9

. Boccuccia; 2. collino; 3. corpicino; 4. dentino; 5. guancetta;
. manine; 7. nasino; 8. occhino; 9. orecchiette; 10. unghiette.

Esercizio 10

/l; 2/i; 3/a; 4/b; 5/c; 6/d; 7/e; 8/g; 9/f; 10/h.

Esercizio 11

. Perse; 2. coprì; 3. scoprì; 4. s'aprì; 5. offrì.

Esercizio 12

1. dal fronte; 2. colla; 3. alla tempia; 4. alla menta; 5. il gambo
6. testa; 7. la suola; 8. la capitale; 9. uno scopo; 10. il caso.

Esercizio 13

1. Chiudi il becco; 2. mettere il becco; 3. ho avuto un battibecco
4. è restato a becco asciutto; 5. non ho il becco di un quattrino
6. terrà/tiene il becco chiuso; 7. ha il becco lungo; 8. bagnarsi i
becco.

Esercizio 14

1/b; 2/a; 3/c; 4/a; 5/a; 6/a; 7/c; 8/a; 9/c; 10/c.

Esercizio 15

1. cuore; 2. polso; 3. fegato; 4. gamba; 5. piedi; 6. mano; 7. testa
8. cuore; 9. gamba; 10. mano.

Esercizio 16

1. lunga; 2. avvelenato; 3. bucate; 4. tonde; 5. aperte; 6. destro
7. duro; 8. buona; 9. aperta; 10. calda.

Esercizio 17

1/i; 2/f; 3/a; 4/b; 5/c; 6/d; 7/e; 8/l; 9/h; 10/g.

Esercizio 18

1. la neve; 2. il miele; 3. la pece; 4. una rosa; 5. l'olio; 6. un
verme; 7. una campana; 8. un fulmine; 9. una lumaca; 10. un
pesce; 11. il cielo; 12. il ghiaccio; 13. una talpa; 14. una Pasqua
15. il mare.

Esercizio 19

Non c'è chiave.